马可的零用钱

【美】詹妮弗·达斯林◎著
【美】黛安·帕尔米夏诺◎绘
范晓星◎译

天津出版传媒集团
新蕾出版社

图书在版编目 (CIP) 数据

马可的零用钱/(美)达斯林(Dussling,J.)著;
(美)帕尔米夏诺(Palmisciano,D.)绘;范晓星译.—
天津:新蕾出版社,2015.6(2024.12 重印)
(数学帮帮忙·互动版)
书名原文:Fair is Fair!
ISBN 978-7-5307-6230-1
Ⅰ.①马… Ⅱ.①达…②帕…③范… Ⅲ.①数学-
儿童读物 Ⅳ.①01-49
中国版本图书馆 CIP 数据核字(2015)第 097018 号

津图登字:02-2012-222

出版发行:天津出版传媒集团
新蕾出版社
http://www.newbuds.com.cn
地　　址:天津市和平区西康路 35 号(300051)
出 版 人:马玉秀
电　　话:总编办 (022)23332422
发行部 (022)23332679　23332351
传　　真:(022)23332422
经　　销:全国新华书店
印　　刷:天津新华印务有限公司
开　　本:787mm×1092mm　1/16
印　　张:3
版　　次:2015 年 6 月第 1 版　2024 年 12 月第 22 次印刷
定　　价:12.00 元

无处不在的数学

资深编辑　卢　江

人们常说“兴趣是最好的老师”，有了兴趣，学习就会变得轻松愉快。数学对于孩子来说或许有些难，因为比起语文，数学显得枯燥、抽象，不容易理解，孩子往往不那么喜欢。可许多家长都知道，学数学对于孩子的成长和今后的生活有多么重要。不仅数学知识很有用，学习数学过程中获得的数学思想和方法更会影响孩子的一生，因为数学素养是构成人基本素质的一个重要因素。但是，怎样才能让孩子对数学产生兴趣呢？怎样才能激发他们兴致勃勃地去探索数学问题呢？我认为，让孩子读些有趣的书或许是不错的选择。读了这套“数学帮帮忙”，我立刻产生了想把它们推荐给教师和家长朋友们的愿望，因为这真是一套会让孩子爱上数学的好书！

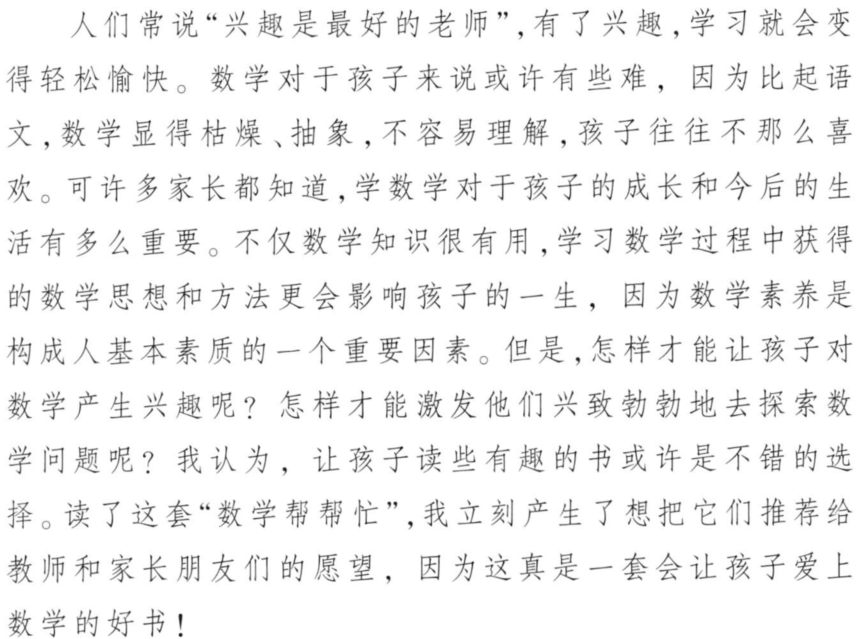

这套有趣的图书从美国引进，原出版者是美国资深教育专家。每本书讲述一个孩子们生活中的故事，由故事中出现的问题自然地引入一个数学知识，然后通过运用数学知识解决问题。比如，从帮助外婆整理散落的纽扣引出分类，从为小狗记录藏骨头的地点引出空间方位等等。故事素材全

部来源于孩子们的真实生活，不是童话，不是幻想，而是鲜活的生活实例。正是这些发生在孩子身边的故事，让孩子们懂得，数学无处不在并且非常有用；这些鲜活的实例也使得抽象的概念更易于理解，更容易激发孩子学习数学的兴趣，让他们逐渐爱上数学。这样的教育思想和方法与我国近年来提倡的数学教育理念是十分吻合的！

这是一套适合5~8岁孩子阅读的书，书中的有趣情节和生动的插画可以将抽象的数学问题直观化、形象化，为孩子的思维活动提供具体形象的支持。如果亲子共读的话，家长可以带领孩子推测情节的发展，探讨解决难题的办法，让孩子在愉悦的氛围中学到知识和方法。

值得教师和家长朋友们注意的是，在每本书的后面，出版者还加入了“互动课堂”及“互动练习”，一方面通过一些精心设计的活动让孩子巩固新学到的数学知识，进一步体会知识的含义和实际应用；另一方面帮助家长指导孩子阅读，体会故事中数学之外的道理，逐步提升孩子的阅读理解能力。

我相信孩子读过这套书后一定会明白，原来，数学不是烦恼，不是包袱，数学真能帮大忙！

“可是，爸爸……”马可央求爸爸。

“不可以，马可。”索拉诺先生坚定地说，“你的零用钱够用了。”

马可叹了一口气。他班上同学的零用钱都比他多。马可每周有3元钱，可其他同学都至少有5元。不论爸爸怎么说，这就是不公平！

索拉诺先生正要去上班，他在宠物嘉年华食品公司工作。“我7点钟回家。”说完，他摸摸马可的头就出门了。

“宝贝，对不起。你爸爸工作太忙了，他在争取一位大客户。”妈妈一边翻包找钥匙一边说，“他最近满脑子都是公司的事。”

马可的妈妈是说着玩儿，不过倒让马可想到了一个主意。

宠物
嘉年华

索拉诺先生下班回到家，马可在电视机前走来走去。他手里举着一个大牌子，上面写着：让我高兴点，涨涨零用钱！

可索拉诺先生只是抬了下眉毛，什么也没说。

第二天，马可在家里的各个地方全都贴上了便利贴，上面写着：别忘了，给马可涨些零用钱！

可爸爸好像根本没看见。

星期六一大早，马可在爸爸的工作日志上留了言:上午 10:00,会见马可,讨论钱的事。

索拉诺先生笑了,却带马可去了动物园。

动物园很好玩儿，可马可的心思不在这儿。

他一直想着零用钱的事。怎么才能让爸爸把他的话当回事呢？

星期一在学校，马可学到了条形统计图。“统计图可以很直观地说明问题。”老师告诉他们。

“有办法了！”马可自言自语道。

条形统计图
最喜欢的体育项目
体育项目
篮球
足球
冰球
橄榄球
棒球
0 1 2 3 4 5 6
孩子的数量
最喜欢的宠物
孩子的数量
0 1 2 3 4 5 6
鱼
猫
鸟
沙鼠
狗
宠物

吃午餐的时候，马可问了班上几个同学分别得到多少零用钱，然后记录下来。

回到家，马可在卧室地板上铺开一大张绘图格纸。

马可先在绘图格纸的左侧写下数字 1 到 10，每一格代表同学得到的 1 元钱。

接下来，他把同学的名字标在每一列下面。

然后他开始涂色。

马可画完以后，代表山姆、玛利亚和内森三个人零用钱的条形图像高塔一样。安的最高，就像摩天大楼！马可的却只像个小房子。

马可的条形图一下子引起了索拉诺先生的注意。他端详了半天，说："有意思，但我还是觉得3元钱已经足够了。"

可索拉诺先生的口气不像以前那样坚决了。马可觉得他的条形图方法开始奏效了。

第二天，马可又在同学们中间做了一项调查。他问大家做多少家务活。山姆和内森做2项家务。安做3项家务。玛利亚什么家务都不用做。

马可呢？马可要做5项家务！他得扫地、喂狗、布置餐桌、倒垃圾、铺自己的床。

这次，马可做家务活的那个条形图成了高塔，别的同学的都是小房子。

索拉诺先生花了整整 10 分钟研究马可的这张新条形图。

他摸摸下巴，喃喃自语，然后起身走开了，什么都没说。

索拉诺先生进了他的办公室，整晚都没有出来。马可不知道这是好事还是坏事。他决定，就当是好事吧。

可结果呢，不光是好事，还是件大好事！

第二天，马可的爸爸很早就到家了。他给了马可一个大大的拥抱，说：“谢谢你，马可！”

“我今天开了一个非常重要的会，”爸爸说，“我要赢得一个新客户。正是你的条形图启发了我。昨天晚上，我也做了条形图。结果，家乐园超市选中了我们宠物嘉年华，而没有选另外 4 家宠物食品公司！”

爸爸把他做的条形图拿出来。一张图表展示的是宠物嘉年华和其他4家宠物食品公司的产品口味评比。狗狗们最喜欢索拉诺先生的公司生产的狗粮！

另一张图表展示的是兽医对宠物食品的选择，宠物嘉年华还是第一名！

马可也给了爸爸一个大大的拥抱。看到爸爸高兴的样子，他也很开心。

“去叫上你妈妈！”爸爸说，“咱们今晚到外面吃饭，庆祝庆祝！”

马可和爸爸妈妈一起钻进了汽车。

他们来到马可最喜欢的餐馆——中华美食园！

索拉诺先生让全家人都举起杯来:“为马可干杯!他做的条形图非常清楚,也特别有说服力。我被说服了。原来我觉得每周3元零用钱已经足够了,可我错了。所以,马可,我决定给你涨零用钱!”

马可吃了一惊，不过他很快就心花怒放了。他做的条形图帮他表明了观点，现在他终于得到更多的零用钱了！

一家人都举起了杯子。“为马可干杯！”爸爸妈妈笑着说。

马可也说：“为我干杯吧！”

那天晚上，马可把他的两张条形图贴在墙上。他躺在床上欣赏着它们，嘴角露出得意的微笑。一周前，爸爸好像还根本不肯改变自己的想法呢！

现在，爸爸终于明白马可想要告诉他什么了，这样才公平嘛！

家务活统计
10
9
8
7
6
5
4
3
2
1
0
山姆
玛利亚
内森
安
马可
零用钱统计
钱数
10
9
8
7
6
5
4
3
2
1
0
山姆
玛利亚
内森
安
马可

条形统计图

我喜欢条形统计图！

条形统计图可以很清楚地显示和比较数据，汪汪！

请看下面两张条形统计图。你能看到哪些信息？

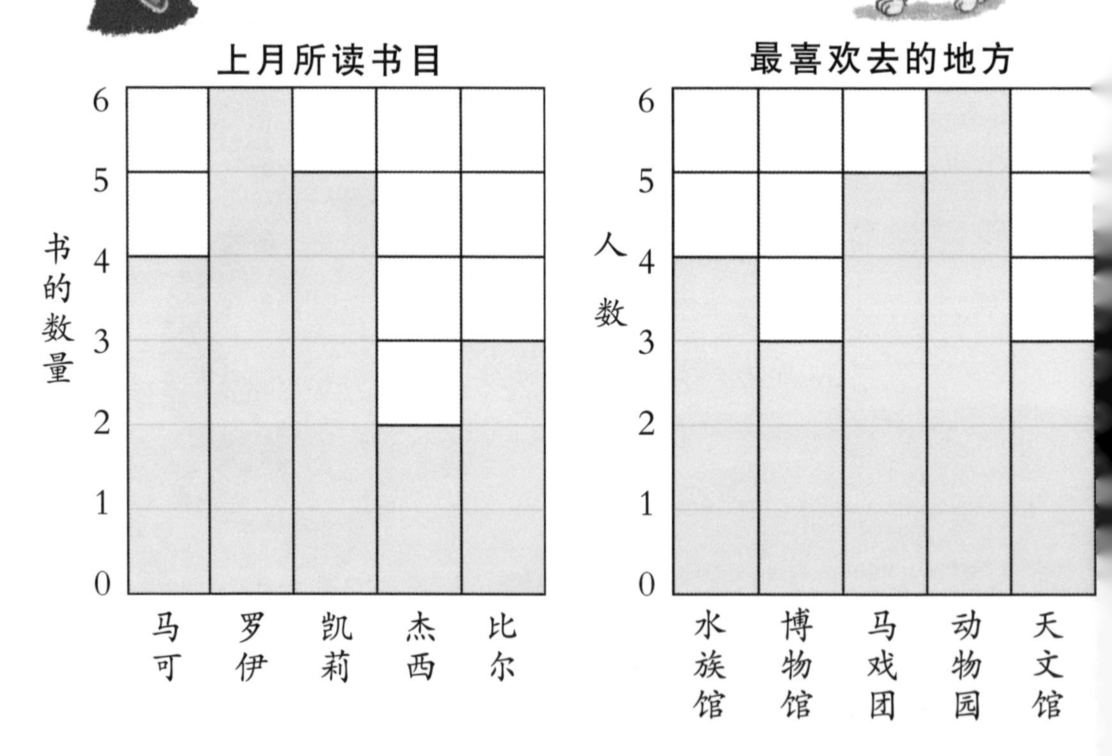

- 罗伊读过的书最多。
- 马可读了 4 本书。
- 喜欢去博物馆和天文馆的同学一样多。
- 马戏团是第二受欢迎的地方。

你还能从这两张统计图中找到什么信息？

亲爱的家长朋友，请您和孩子一起完成下面这些内容，会有更大的收获哟！

提高阅读能力

- 请孩子预测一下，封面上的小主人公想要写些什么呢？
- 和孩子一起读这个故事。请孩子看第 16 页和第 20 页上的条形统计图。这两张统计图分别比较了什么数据？为什么在一张图表上，代表马可的条形图像个小房子，而在另一张上，却像是高塔？
- 在故事开头，马可是怎么央求爸爸给他涨零用钱的？这招灵不灵？为什么条形图可以说服爸爸呢？请孩子说说看，马可到底应不应该得到更多的零用钱？为什么？

巩固数学概念

• 请看第 32 页上的统计图。向孩子提问，例如：上个月，杰西和比尔谁读过的书更多？凯莉读了几本书？孩子们最喜欢去的地方是哪里？

• 马可做条形统计图之前，需要收集哪些数据？请看第 14 页、第 18 页和第 19 页。他在做第一张统计图的时候，需要决定什么内容？请看第 15 页。

• 请看第 12~13 页的统计图。它们的相同点和不同点各是什么？读出每个条形图所代表的数字。

• 让孩子看第 24~25 页马可的爸爸做的统计图。每张图表示什么内容？马可的爸爸比较了几家宠物食品公司的数据？为什么他用 10、20、30 这些数字来做单位？

生活中的数学

• 请孩子在家人和朋友中间做小调查，比如最喜欢的颜色、食物、玩具、衣服或者电视剧等等。为他们准备一些绘图格纸，帮他们将得到的数据整理成条形统计图。

• 做一张“幸运色”统计图。准备 6 支不同颜色的蜡笔和一张绘图格纸。在左侧写下 1 到 10，下方为 6 支蜡笔的颜色。把蜡笔放进一个袋子里。请孩子随便摸出一支，在对应的表格上涂上颜色，然后把蜡笔放回袋子。这样重复多次之后，统计图上条形图最高的，就是孩子的幸运色啦。

涂格子

请你数完糖果，涂好上面的格子，再回答下面的问题。

1.（　）最多，（　）最少。

2.（　）和（　）的数量一样多。

3. 一共有（　）块糖。

我在全班进行了“我最爱吃的水果”调查,结果如下:

水果	苹果	香蕉	橘子	樱桃
人数(人)	16	8	9	12

1. 我的班上一共有(　　)人。
2. 喜欢吃(　　)的最多,喜欢吃(　　)的最少。
3. 喜欢吃苹果的比喜欢吃橘子的多(　　)人。

请你给下面的统计图填色, 注意,1 格代表 2 人,有 9 个人喜欢吃橘子,应该怎样涂色呢?

单位:人

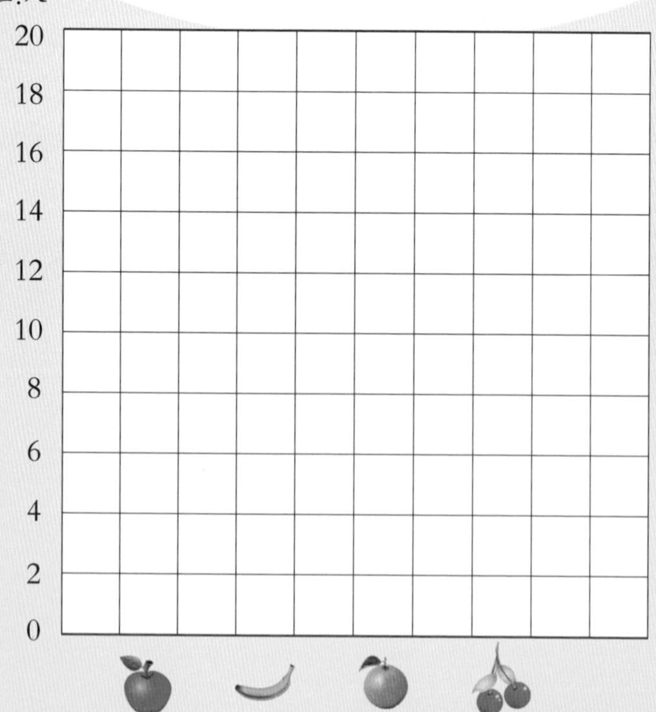

互动练习

虽然现在提倡“绿色出行”，但是马路上的汽车还是特别多！下面是我和小伙伴在一个路口一分钟内统计到的数据：

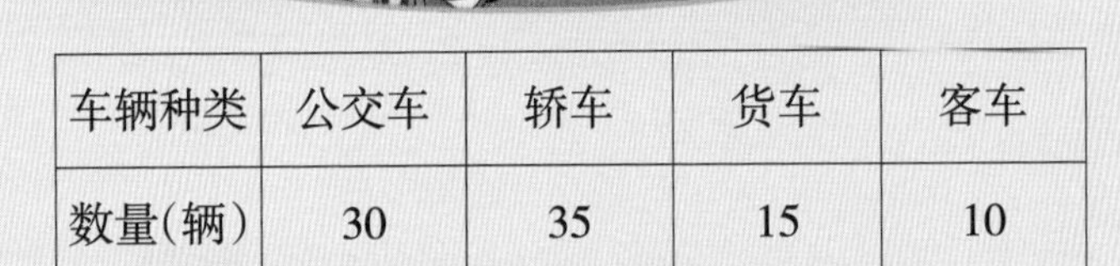

车辆种类	公交车	轿车	货车	客车
数量(辆)	30	35	15	10

请你给下面的统计图填色，然后回答下方的问题。

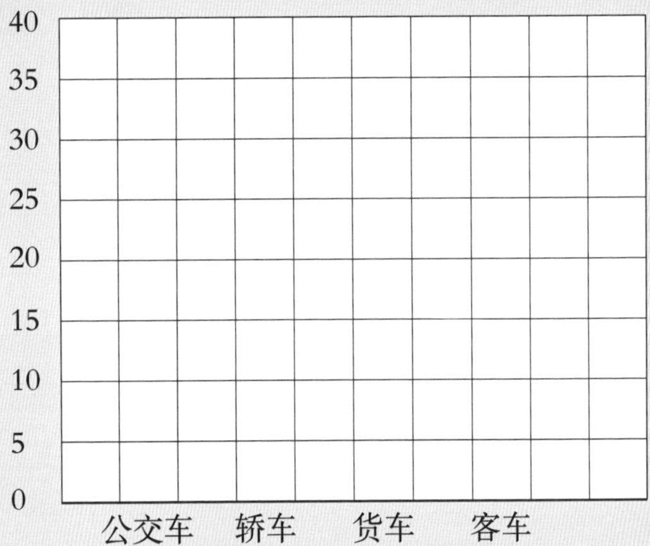

1. 在一分钟内经过的(　　)最多。
2. 经过最多的车比经过最少的车多(　　)辆。
3. 从这张统计图中，你还能看出什么问题？

动物园的管理员为动物们做了一次“体检”，下面是几种动物的体重统计图：

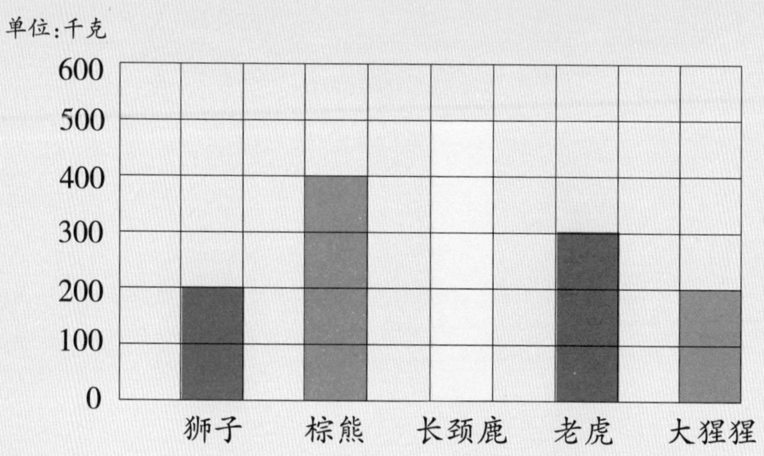

看完这张统计图，你能把每种动物的体重写在下面的表格里吗？

动物	狮子	棕熊	长颈鹿	老虎	大猩猩
体重（千克）					

你有没有发现前面这几个互动练习中，每幅统计图里，1格所代表的数量都不相同？其实，我们可以根据每组数据的特点来选择制作合适的统计图！

互动练习5

在日常休闲时，你最喜欢什么活动？下面是我在班上进行的一项调查，你能根据统计表完成统计图吗？

活动	看电视	看书	运动	旅游	其他
人数(人)	18	10	12	7	2

我觉得1格表示1人最好，最简单！

可是，1格表示1人的话，格子不够啊，我觉得1格表示2人更合适！

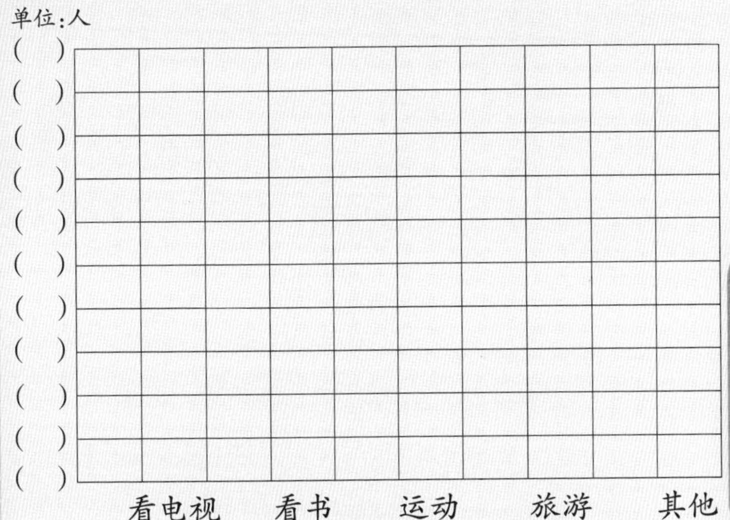

请你想一想，到底用一格代表几个人比较合适呢？

请你回答下面的问题。

1. 我们班一共有(　　)人。
2. 喜欢(　　)的人最多，比喜欢运动的多(　　)人。
3. 从这个调查中，你发现了什么问题呢？

互动练习6

我在班里又做了一项大家最喜爱的运动的调查,你能看懂下面的统计图吗?

我最喜欢的运动

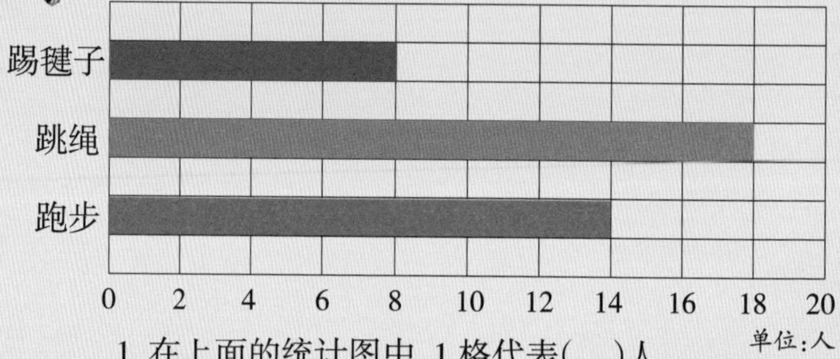

1. 在上面的统计图中,1 格代表(　)人。
2. 喜欢跑步的有(　)人,喜欢(　)的人最多。
3. 你发现它与前面的统计图有什么不同吗?

前面的统计图都是竖着涂格子,这里怎么是横着涂格子?

这是横向条形统计图,你也来试试!

我最喜欢的图书

图书	科普类	漫画类	推理类	文学类
人数(人)	16	12	12	10

科普类

漫画类

推理类

文学类

0 2 4 6 8 10 12 14 16 18 20

单位:人

互动练习

同学们，下面是 2014 年上半年某商场电视机的销量统计图，请你们回答下面的问题吧。

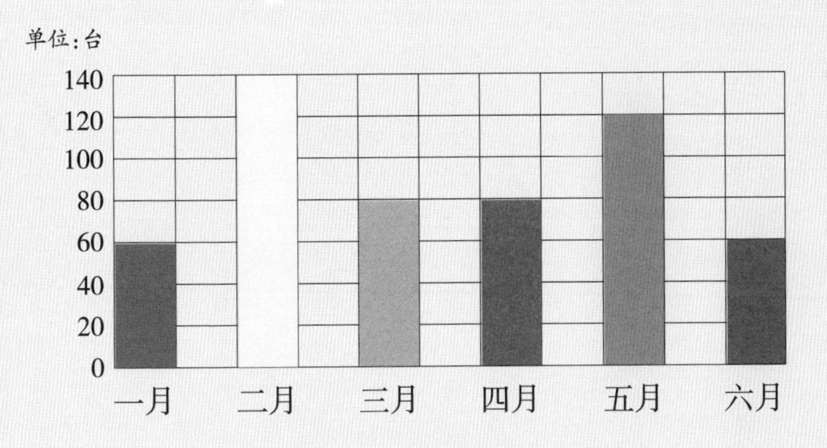

1.（　）月销售量最高，销售了（　）台。

2.（　）月和（　）月销售量最低。

3. 上半年一共卖出（　）台电视机。

4. 假如你是销售经理，对于以后的销售你有什么好的建议吗？

同学们，做了这么多有趣的条形统计图，你觉得它最大的特点是什么？

互动练习 1:1. ②④ 2. ①③ 3. 28

互动练习 2:1. 45 2. 苹果 香蕉 3. 7

互动练习 3:1. 轿车 2. 25 3. 略

互动练习 4:

动物	狮子	棕熊	长颈鹿	老虎	大猩猩
体重(千克)	200	400	500	300	200

互动练习 5:1. 49 2. 看电视 6 3. 略

互动练习 6:1. 2 2. 14 跳绳 3. 略

互动练习 7:1. 二 140 2. 一 六 3. 540

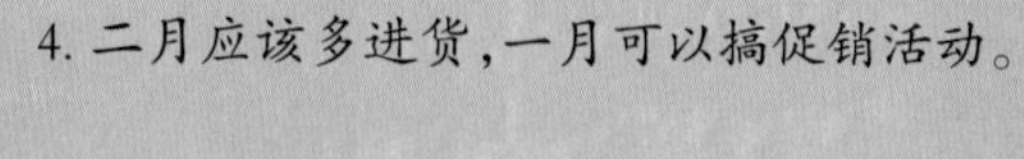

4. 二月应该多进货,一月可以搞促销活动。

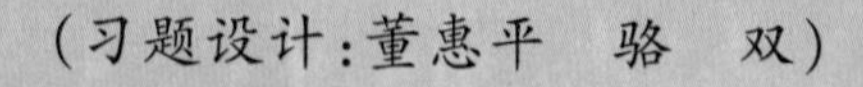

(习题设计:董惠平 骆 双)

Fair is Fair!

"But Dad—"Marco whined.

"No, Marco,"Mr. Solano said firmly."Your allowance is fair."

Marco sighed. The other kids in his class had bigger allowances. Marco got three dollars a week. Everyone else got at least five dollars. It wasn't fair—no matter what his dad said.

Mr. Solano was off to his job at the Pet Party Pet Food company."I'll be back by seven,"he said. He rumpled Marco's hair on his way out.

"I'm sorry, hon. Your dad is just busy at work. He's trying to get a big account." She grabbed her keys. "Business is the only thing that gets his attention right now."

Marco's mom was joking. But her joke gave Marco an idea.

When Mr. Solano came home, Marco was walking back and forth in front of the TV. He was carrying a sign that said, Keep Your Kid Happy. Raise His Allowance.

The only thing Mr. Solano raised was his eyebrows.

The next day Marco left little sticky notes all over the house. They said,

DON'T FORGET! RAISE MARCO'S ALLOWANCE.

His dad didn't take the hints.

Early Saturday morning Marco wrote a note on his dad's calendar: 10:00 A.M.—Meet with Marco about $$.

Mr. Solano laughed and took Marco to the zoo instead.

The zoo was fun. But it wasn't what Marco really wanted.

He kept thinking about his allowance. How could he get his dad to take him seriously?

In school on Monday, Marco learned about bar graphs. "Graphs are a great way to make a point," his teacher said.

"That's it!" Marco said to himself.

At lunch, Marco asked some kids in his class about their allowances. He took notes.

When he got home, he spread out a big piece of grid paper on his bedroom floor.

First Marco wrote the numbers 1 to 10 on the left side of the grid. One square stood for each dollar a kid got.

Next he wrote a kid's name at the bottom of each column.

Then he started coloring.

When Marco was finished, Sam, Maria and Nathan had tall towers of squares above their names. Ann had a skyscraper! Marco's column was barely a house.

Marco's bar graph got Mr. Solano's attention. He looked at it carefully. "This is interesting," he said. "But I still think three dollars is fair."

Mr. Solano didn't sound quite as sure as he had before. Marco knew he was on to something with the bar graphs.

The next day Marco did another survey of his classmates. He asked them how many chores they had. Sam and Nathan had two chores to do. Ann had three. Maria didn't have any chores at all.

And Marco? Marco had five chores. He had to sweep the floor, feed the dog, set the table, take out the trash, and make his bed.

This time Marco had the tower. Everyone else had houses.

Mr. Solano spent a whole ten minutes looking at Marco's new bar graph.

He scratched his chin. He mumbled to himself. He walked away without saying anything.

Mr. Solano went into his office. He didn't come out again all night. Marco couldn't tell if that was good or bad. He decided to act like it was good.

But it wasn't good. It was GREAT!

The next day Marco's dad came home early. He gave Marco a big bear hug and said, "Thank you, Marco!"

"I had a big meeting today," Marco's dad explained. "I wanted to win this new account and your bar graphs gave me an idea. Last night, I made my own bar graphs. And Garden Grocery picked Pet Party Pet Food over four other companies!"

Marco's dad took out the bar graphs he had made. One showed a pet-food taste test between Pet Party and four other brands. The dogs liked Mr. Solano's pet food best!

Another showed which pet food veterinarians preferred. Pet Party was their favorite, too!

Marco gave his dad a big hug. He was glad his dad was happy. "Get your mom!" Marco's dad said. "We're going out to dinner to celebrate!"

Marco, his dad, and his mom all piled into the family car.

They went to Marco's favorite restaurant—China Garden.

Mr. Solano called for a toast. "Here's to Marco. His bar graphs were clear and powerful. They convinced me. I thought three dollars was fair, but I was wrong. So, Marco, I am raising your allowance!"

Marco was surprised—but only for a second. His bar graphs had proved his point. He was finally getting a bigger allowance!

They all raised their teacups. "Cheers to Marco!" his mom and dad said.

"Cheers to me!" Marco said.

That night Marco taped up his two bar graphs. He lay back in bed and looked at them. He smiled. Just a week ago it seemed as if his dad would never change his mind.

Now he understood what Marco had been trying to show him all along. Fair is fair!